- HERGÉ -

ANTURIAETHAU TINTIN

Y SEREN WIB

ADDASIAD
DAFYDD JONES

DALEN

dalenllyfrau.com

Mae *Tintin: Y Seren Wib* yn un o nifer o lyfrau straeon stribed gorau'r byd sy'n cael eu cyhoeddi gan Dalen yn Gymraeg ar gyfer darllenwyr o bob oed. I gael gwybod mwy am ein llyfrau, cliciwch ar ein gwefannau
www.dalenllyfrau.com
www.tintincymraeg.com

Tintin o gwmpas y Byd

Affricaneg Human & Rousseau
Almaeneg Carlsen Verlag
Arabeg Elias Modern Publishing House
Armeneg Éditions Sigest
Bengaleg Ananda Publishers
Catalaneg Juventud
Corëeg Sol Publishing
Creoleg Caraïbeeditions
Creoleg (Réunion) Epsilon Éditions
Croateg Algoritam
Cymraeg Dalen (Llyfrau)
Daneg Cobolt
Eidaleg RCS Libri
Estoneg Tänapäev
Ffinneg Otava
Ffrangeg Casterman
Georgeg Agora
Groeg Mamouthcomix
Hebraeg M. Mizrahi Publishing House
Hindi Om Books
Hwngareg Egmont Hungary
Indoneseg PT Gramedia Pustaka Utama
Isalmaeneg Casterman
Islandeg Forlagit
Latfieg Zvaigzne ABC
Lithwaneg Alma Littera
Norwyeg Egmont Serieforlaget
Portiwgaleg Edições ASA
Portiwgaleg (Brasil) Companhia das Letras
Pwyleg Egmont Polska
Rwmaneg Editura M.M. Europe
Rwsieg Casterman
Saesneg Egmont UK
Saesneg (UDA) Little, Brown & Co (Hachette Books)
Sbaeneg Juventud
Serbeg Media II D.O.O.
Siapanaeg Fukuinkan Shoten Publishers
Slofeneg Učila International
Swedeg Bonnier Carlsen
Thai Nation Egmont Edutainment
Tsieceg Albatros
Tsienëeg (Cymhleth) The Commercial Press
Tsienëeg (Syml) China Children's Press & Publication Group
Twrceg Inkilâp Kitabevi

Cyhoeddir Tintin hefyd mewn nifer o dafodieithoedd

Cyhoeddwyd yn gyntaf yn 2011 gan Dalen, Tresaith, Ceredigion SA43 2JH
Cyhoeddwyd yn wreiddiol yn Ffrangeg fel *L'Étoile Mysterieuse*
Cyhoeddwyd yn unol â chytundeb gan Casterman, Gwlad Belg

Mae Dalen yn cydnabod cefnogaeth ariannol Cyngor Llyfrau Cymru
Rhif Llyfr Safonol Rhyngwladol 978-1-906587-22-2

Argraffwyd yng Nghymru gan Cambrian

Y SEREN WIB

Mae hi'n noson braf...
Rhy dwym i fi, myn diain i... Fel tase hi'n ganol haf!

Drycha, Milyn, seren wib! Gwna ddymuniad!
Edrych ble wyt ti'n cerdded yn lle syllu ar y sêr...

Saith seren y Gogledd yn disgleirio...

Ond beth yw'r seren ddisglair 'na yn y canol?
Pa un yn gwmws?

Dyna ryfedd... Pam fod wyth seren yn lle saith yng nghytser yr Haeddel Fawr?
Haeddel? Gad i fi gydio ynddi!

Wel, wel... Weles i ddim fath beth erioed.
Tintin, ym mysg y sêr di-rif, pam wyt ti'n becso am un fach yn fwy neu lai?

Rwy'n credu wna i ffonio'r arsyllfa pan gyrhaeddwn ni adre...

Yr arsyllfa sydd yna?... Wel, rwy newydd sylwi ar seren lachar newydd yng nghanol yr Haeddel Fawr, a rôn i'n meddwl...
Gofynna iddyn nhw pam fod hi mor dwym...

Helo?... Beth? Mae'r ffenomen wedi'i nodi?... Wel, da iawn, ond... Helo? Helo?... Diawch, maen nhw wedi rhoi'r ffôn lawr!
?

Dyna'r peth rhyfedda... Ond pam rhoi'r ffôn lawr?... Iechyd, mae'r gwres yma'n llethol...

?

Ydw i'n dychmygu pethe? Mae'r seren fel tase hi'n tyfu'n fwy ac yn fwy...

Reit, mae'n rhaid fod esboniad am hyn... Dere mlaen, Milyn, rŷn ni'n dau yn mynd draw i'r arsyllfa i fynnu ateb!

DRRRING
ARSYLLFA

Mae hi'n tyfu o hyd...

Helo... Gaf i air gyda'r cyfarwyddwr, os gwelwch yn dda?
Amhosib. Mae o'n brysur.

CLAC
ARSYLLFA
?

Cau'r drws yn fy wyneb? Reit, dyna ni!
Gwarth!

DRRRING
DRING

Chi eto?... Dwi 'di deud, mae'r cyfarwyddwr yn brysur, fedar o ddim...
Sdim ots am 'ny... Dewch glou, mae'r arsyllfa ar dân!

Eee? Be ddudoch chi?
Dewch i weld...

?!
CLAC

Dim un sŵn, Milyn...
Mae hi fel y bedd...

Pwy yw hwn?
Daeth Dydd y Farn Fawr!

Esgusodwch fi, syr, ond...
Nid geiriau gau mohonynt! Y Farn Fawr!

"Ffurfafen draphen a droe, Ucheldrum nef a chwildroe!"
?
?

DIM MYNEDIAD

DIM MYNEDIAD
CNOC
CNOC
CNOC

DIM MYNEDIAD
CNOC
CNOC
CNOC
CNOC
CNOC
CNOC

Esgusodwch fi, rwy'n chwilio am gyfarwyddwr yr arsyllfa...
Tawch! Yfi ydi o!

Ia, yfi ydi o... Ond byddwch dawal! Mae fy nghyfaill yma'n mwydro efo ryw hafaliadau cymhlath ar y naw... Ond tra ei fod o wrthi, pam na gymrwch chi olwg drwy'r telesgôp? Mae 'na rwbath gwerth ei weld!

Dere 'te, Milyn...

NA!
?

Ond, ond... Mae'r peth yn erchyll... Yn hunllefus!
Wel, ia, hunllefus...

Ac mor fawr... Yn ddychrynllyd o fawr!
Ydy, yn anferthol...

A'r coesau blewog 'na... Mae'r peth yn anfon ias lawr fy nghefn!
Be ddudoch chi? Ei goesa fo?

Wrth gwrs... Hen goesau blewog y corryn anferth 'na...
Be 'dach chi'n gwamalu? Pry cop?... Nid jôc ydy hyn!

Ond dewch i weld...

Yn enw'r alaeth! Mi 'dach chi yn llygad eich lle... Ia, pry cop ydy o!...
Dyna ni...

Rhyfeddol! Mae'r peth yn rhyfeddol!... Mae gynno fo nodweddion Aranea fasciata, neu... Naci, daliwch chi funud... Dwi'n credu mai Araneus diadematus ydi o! Araneus diadematus anferthol!

'Na fe, corryn mawr, anghenfil o beth... Yn hyrddio drwy'r gofod... Ond beth os...

Athro, peidiwch â phoeni!... Mae popeth yn iawn!... Dim ond hen gorryn bach oedd e, yn cerdded ar draws y lens... Rwy wedi cael gwared arno nawr!

Wa! Ha! Ha! Ha!... Hen gorryn bach diniwed yn hala llond twll o ofn arnyn nhw!

WOWOW

Dowch i edrych rwan 'ta...

Wel?

Mae e'n edrych fel pelen anferth o dân...

Dyna fo, pelan anfarth o dân... Pelan ANFARTH o dân!
?

Yr hyn welwch chi ydi adweithydd niwclear hannar maint y Ddaear...
Ond pam fod e'n ymddangos fel petai'n tyfu'n fwy o flaen ein llygaid ni?

Mae hynny'n syml iawn... Mae o'n hyrddio tuag atom drwy'r gofod ar gyflymder echrydus...
Yn dod i'n cyfeiriad ni?... Ond os fydd e'n cario mlaen...

Wel, ia, hogyn bach... Mae'r belan anfarth yna o dân yn mynd i hyrddio i mewn i'r Ddaear!
Mam fach! Ac os hynny...

Ia, dyna fo... DIWADD Y BYD!

Wedi cwpla!... Dyma'r holl hafaliadau sy'n dangos mai bore fory am 12 munud wedi 8, a 30 eiliad yn gwmws, y bydd diwedd y byd!

Diwedd y byd?
Da iawn, am 08:12½... A myfi, ia wir, myfi, Didymus Bahnanaschpiel, sydd wedi pennu'r union amser ar gyfer y gyflafan fawr! Ac yfory byddaf i, ia wir, myfi, yn enwog!

Ond... Does bosib... Beth os... Falle fod gwall yn y syms...
Pardwn?
Be 'dach chi'n awgrymu? Digon teg, mi gewch chi wirio'r holl waith papur!

!

Ym... Na, na, rwy'n siŵr fod y cyfan yn gywir, Athro Bahnanaschpiel... Fe gymera i eich gair! Hwyl nawr...

Diwedd y byd!

Hei, Milyn, beth sy'n bod arnot ti?

HELP!

Jest mewn pryd!

Llygod mawr! Cannoedd ohonyn nhw yn rhedeg o'r ffosydd!... Maen nhw wedi'u cynhyrfu'n lân!

Wedi mynd... Ond beth ddigwyddodd i Milyn?

MILYN!

BANG
BANG
?

Diawch... Mae teiars y car wedi ffrwydro yn y gwres!

Milyn!...
MILYN!

Fan hyn wyt ti! Dere nawr, pam nag wyt ti'n dod pan rwy'n dy alw di?... Dere mlaen!

Nefi wen! Beth sy 'di digwydd i ti? Dwyt ti ddim yn gallu symud o'r fan!...
Helpa fi, Tintin!

Milyn bach!

E?... O, rwy'n gweld beth sy 'di digwydd... Mae'r tar ar yr ffordd yn toddi yn y gwres hefyd...

Y blwmin seren!

Druan â nhw... Tasen nhw ddim ond yn gwybod...

DONG
DONG
DONG
DONG
DONG
?

"Os planed blin dynged yw A lithrodd marwolaethryw!"
?

"Y deuddegfed dydd sydd a sêr - ac a oedd Dan y nefoedd o nifer, A syrth i lawr, fawr fryder, Pelydr tân anafan y nifer!"

Hei, broffwyd! Falle ddylech chi fynd adre... Mae'n hwyr ac yn amser i chi fynd i'r gwely!...
!?

Clywch yr hwn a faedd fy herio i, myfi y proffwyd Theophilus Theomemphus!... Daw'r cnaf ar air ei deyrn... Luwsiffer ei hun!

Ymaith â thi, yn ôl i'r cysgodion... Ymaith!

Fe ddaw y dyddiau du a'r pla i ddifa popeth... "Gweithred y blaned yw'r bla!"
Hm, mae e wedi gwneud ei bwynt...

O'r diwedd, adre'n ddiogel!

Diawch... Mae e'n ddigon i ddallu dyn!

IAAW!
?

Iechyd!... Fe wnes i losgi fy llaw ar fframyn y ffenest!...

Milyn bach, druan â ti... Rwyt ti'n sychedig... Ac mae'r blodyn bach 'na wedi gwywo...

Diwedd y byd, Milyn!... DIWEDD y byd!... Wyt ti'n deall, Milyn? Diwedd y BYD!

DONG
DONG

"Dyfal o ddial a ddaw, cyn dyddbrawd, cŵyn diwedd-braw!"

Nawr, falle caf i damed bach o lonydd...

Wel, mae'n rhaid i fi orffwys nawr... Rwy wedi blino'n lân...

Ffiw!... Wedi cael digon...

DONG

?

Sut ddaethoch chi i mewn fan hyn?
Mae proffwydi'n mynd a dod fel y mynnant!

Wel, sdim ots 'da fi sut ddaethoch chi i mewn, achos fi'n gwbod sut ŷch chi'n mynd mâs! Nawr, siapwch hi!
Ww... Bygwth, ife?

Eistedda di lawr, gwboi, a drycha ar beth sy 'da fi i ddangos i ti!

?
Wele'r Farn Fawr a ddaw ar ffurf anghenfil o bry cop!
ARANEUS DIADEMATUS
DONG
DONG
DONG
MAINT GO IAWN

DONG
DONG
Ewch o 'ma! Gadewch lonydd i fi!
?

Mam fach! Breuddwydio ôn i... A'r cloc yn taro'r awr sy wedi fy neffro!
DONG
DONG

Wyth o'r gloch y bore! Ymhen deuddeg munud... Ond nawr rwy'n cofio, mae'r hen gloc 'na'n colli amser...

Os ffonia i'r cloc sy'n siarad...

... pîp pîp pîp ...
Ar y drydedd bîp, bydd hi'n ddeuddeg munud ac ugain eiliad wedi wyth...
pîp pîp pîp ...
Ar y drydedd bîp, bydd hi'n ddeuddeg munud a thri-deg eiliad...
pîp pîp pîp
Help!

Dyma ni! Diwedd y byd!

Y diwedd!...

Nage... Ym, nage, nid hwnna oedd y diwedd... Yn bendant, nid hwnna oedd diwedd y byd!... Dim ond daeargryn...
O, wel, popeth yn iawn 'te!

Reit, sut maen nhw'n mynd i esbonio hyn yn yr arsyllfa?... Helo? Helo?... Hm, dyw'r ffôn ddim yn gweithio... Dere 'te, Milyn, fe gerddwn ni draw 'na.

Hip! Hip! Hwrê!
Dim ond daeargryn oedd e!

DRRING
DRRRRRING
DRING
ARSYLLFA

DRRING
DRRRING
DRING
DRING
DRRRRING
Iawn! Iawn! Dwi'n dod!

Hwrê! Hwrê!... Dyw hi ddim yn ddiwedd y byd!

Hwrê! Hwrê! O na fyddai'n haf o hyd!

DIM MYNEDIAD
CNOC
CNOC

DIM MYNEDIAD

DIM MYNEDIAD

Ynfytyn! Hannar pan!
Beth sy?...

Lembo ydi o! Mi nath o gamgymeriad yn ei hafaliadau a dyna fo'r meteorit yn fflio heibio 30,000 milltir i ffwrdd o'r ddaear - a dyma ni rwan yn colli allan ar y danchwa drychinebus ryfeddol roeddwn i 'di gobeithio amdani!
Ond Athro, cewch chi edrych ymlaen at hynny rywbryd eto... Beth wnaeth achosi'r daeargryn?

Athro Bahnanaschpiel!...

Athro, drychwch! Mae e newydd ddod mâs o'r peiriant... Smo chi'n meddwl fod e'n anhygoel?
Rhagorol! Rhagorol! Mae hyn yn anhygoel!

Mae'r clwstwr 'na yn y canol yn arwydd o wraniwn, on'd yw e?
Wraniwm? Naci, be haru chdi!...
?

Ond... Yn enw Satwrnws a'r sêr! Mae hyn yn wyrthiol!

Ffalabalambalŵbalambalêêê!
Gwyrthiol? Wel, dydw i ddim yn gallu neud pen na chwt ohono fe!

Mae hyn yn wyrthiol!... Rhyfeddol!... Anhygoel!... Rhagorol!

Gyfeillion, dwi 'di gneud darganfyddiad ffrwydrol! Dwi 'di darganfod mwyn newydd, olion metel nad oes yr un enaid byw wedi'u gweld o'r blaen!

'Dach chi 'di clywad am y sbectrosgôp, hynny ydi, yr offeryn rydan ni'n ei ddefnyddio i adnabod elfennau'r sêr? Wel, sgynnon ni mo elfennau'r sêr yma ar y Ddaear... Rwan 'ta, dyma lun sbectrosgopig o'r meteorit ddaru hedfan heibio i ni heddiw 'ma... Mae pob un o'r llinella yma yn dangos priodwedda mwynau, ac mae'r llinella yn y canol yn dangos olion metel nad ydan ni wedi'u gweld o'r blaen... Dallt?
Ym, wel...

Ac yfi, Didymus Bahnanaschpiel, ydy darganfyddwr y mwyn newydd yma, ac i mi y syrth y fraint o'i enwi... Mi wna i ei alw fo'n bahnanaschpielit.
Llongyfarchiadau i chi!

Ond Athro... Os na wnaeth y meteorit daro'r Ddaear, beth wnaeth achosi'r daeargryn?

Dudwch i mi, hogyn, ydach chi'n hoffi taffi triog?
?

Wel? Dudwch rwbath! Ydach chi'n hoffi taffi triog?
Ym, taffish? Wel, ydw, diolch... Ond...

Reit dda! Rwan, dos di allan i brynu chwart o daffi triog!... Mae isho i ni ddathlu'r darganfyddiad yma mewn steil!

Holi oeddach chi am y daeargryn, ia?... Wel, mi ddaru darn o'r meteorit syrthio i'r Ddaear, a dyna wnaeth achosi'r daeargryn... A phan ddown ni o hyd i'r darn yna, mi ddown ni o hyd i'r bahnanaschpielit!

Athro Bahnanaschpiel! Clywch hyn...

"Mae adroddiadau o'r orsaf ym Mhenrhyn Morus ar arfordir gogleddol yr Ynys Las yn dweud fod meteorit wedi syrthio i Gefnfor yr Arctig. Gwelodd pysgotwyr belen o dân yn saethu drwy'r awyr cyn diflannu dros y gorwel. Eiliadau wedi hynny, teimlwyd y ddaear yn ysgwyd gymaint nes hollti'r mynyddoedd iâ..."
Yn enw Satwrnws a'r sêr!

Wedi syrthio i'r môr!... Wedi diflannu i ddyfnderoedd y dyfroedd oer!... Fy narganfyddiad i, Didymus Bahnanaschpiel! A'r unig brawf o fodolaeth bahnanaschpielit bellach o dan y dŵr!
Milyn... Mae'r bahnanaschpielit wedi suddo...

Trychineb! Mae'r bahnanaschpielit wedi'i ddwyn o'm gafael!
Dere, Milyn, gwell i ni adael iddo...

Druan ag e, yr Athro Bahnanaschpiel... Gymaint o siom fod y meteorit wedi syrthio i'r môr...
ARSYLLFA
Ac fe anghofiodd e'r cyfan am y taffish!

Beth nesa, dwed?... Llifogydd?... Diawch, mae'n rhaid mai'r daeargryn sy wedi hollti pibau'r system ddŵr!

Fe ddefnyddia i'r briciau i gadw 'nhraed yn sych... Gan bwyll nawr...

SBLASH

Mam fach!... Ond pam na wnes i feddwl am hyn yn gynt?
?

Ti'n gweld y fricsen 'ma, Milyn?
Wrth gwrs bo fi!

Drycha...

Beth ti'n meddwl?
Doedd hwnna DDIM yn ddoniol.

Ond edrych, Milyn... Mae pen y fricsen yn codi allan o'r dŵr!
Odi, odi, wrth gwrs ei fod e...

Y fricsen 'na yw'r meteorit, a'r dŵr yw Cefnfor yr Arctig!... Nawr wyt ti'n deall, Milyn?
Dŵ-lal... Hollol dŵ-lal!

Rargian fawr!... Be sy y tro yma?
DRRING
DRRING
DRRRING

DIM MYNEDIAD
CNOC CNOC

Athro Bahnanaschpiel!

Mae rhywbeth newydd fy nharo, Athro Bahnanaschpiel...
Oes wir?

Byddai'r darn o'r meteorit wnaeth syrthio i'r ddaear yn anferth.
Wrth gwrs y basa fo... Dyna pam ddaru ni deimlo'r daeargryn mor arw...

Felly mae'n debygol iawn fod rhan dda o'r meteorit yn dal i godi allan o'r môr.
Yn enw Satwrnws! 'Dach chi'n hollol gywir!

Rhaid morio yn ddi-oed, felly, ar daith i ddod o hyd i'r meteorit! Rwy'n siŵr y bydd modd i ni ddibynnu ar gefnogaeth ariannol gan y Sefydliad Gwyddonol Ewropeaidd...

Felly ymlaen â ni i drefnu taith ymchwil i Gefnfor yr Arctig! Ddowch chi efo ni, ŵr ifanc?
Wrth gwrs!...

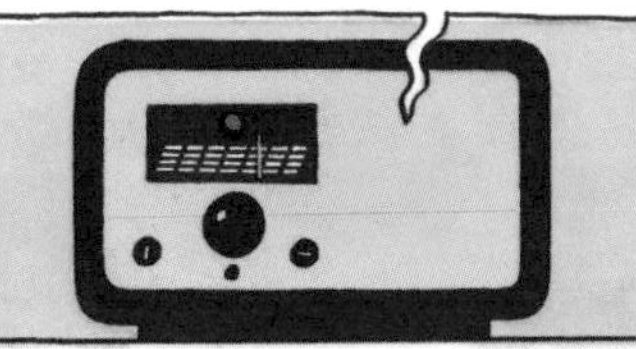
Mae taith ymchwil wyddonol yn cynnwys rhai o arbenigwyr amlycaf Ewrop ar fin troi am ddyfroedd rhynllyd Cefnfor yr Arctig. Nod y daith fydd dod o hyd i'r meteorit a syrthiodd yn ddiweddar i'r dyfroedd hynny, a chredir y gallai o leiaf ran o'r meteorit fod yn codi â'i ben yn uwch na'r dŵr a'r iâ...

Arweinydd y daith fydd yr Athro Didymus Bahnanaschpiel, a ddatgelodd i'r byd bresenoldeb mwyn cwbl newydd yng nghyfansoddiad y meteorit, ac yn ymuno ag ef fydd...

Yr ysgolhaig o Lychlyn, Eric Björgenskjöld, awdur gweithiau nodedig ar nodweddion yr haul;

Dr Porfirio Bolero y Calamares o Brifysgol Salamanca;

Herr Doktor Otto Schulze o Brifysgol Jena;

Yr Athro Paul Cantonneau o Brifysgol Fribourg;

Senhor Pedro Joãs dos Santos, y ffisegydd enwog o Brifysgol Coimbra;

Tintin, y gohebydd ifanc, a fydd yn cynrychioli'r wasg;

A'r Capten Hadog, llywydd cymdeithas y Llwyr-Ymwrthodwyr Morol ac Iachawdwriaeth Dirwest, a fydd yn llywio'r Aurora ar ei thaith tua Phegwn y Gogledd.

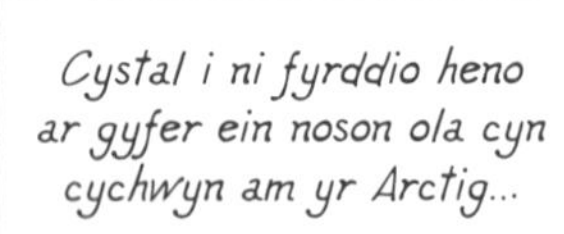

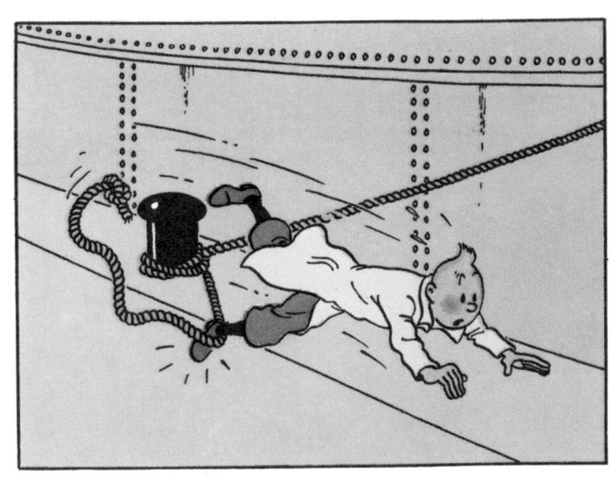

Oni bai am y rhaff 'na, bydden i wedi'i ddal e... Pwy oedd e, sgwn i... A beth oedd e eisie ar y llong?

Ti sy'n cadw llygad ar bethe?
Ie.
AURORA

Welest ti rywun yn segura ar y dec?
Naddo.
AURORA

Naddo fe?... Wel, da iawn... Ydy Capten Hadog yn ei gaban?
Odi.
AURORA

Ie... Na... Ie... Digon siaradus, myn diain i!

Diawch! Ble mae Milyn nawr?... Milyn?... MILYN!

CNOC
CNOC
CNOC
CNOC
I mewn!

Shwmae, Capten! Clywch, fe weles i'r dyn 'ma yn rhedeg oddi ar y llong ac yn ei heglu hi pan weiddes i ar ei ôl e!...
?

WOOWOW!... WOOWOW!... WOOWOW!...

Dyma ti o'r diwedd, Milyn! Hei, beth sy?...
Ddweden i ei fod e am i ni ei ddilyn...

WOOWOW! WOOWOW! WOOWOW!

Deinameit, myn yffarn i!... Yn ffodus, mae rhywun wedi'i ddiffodd e!
Milyn sy wedi... Wel, fe wnaeth ei ddyletswydd, Capten...

Mae'n amlwg fod rhywun am ffrwydro'r llong yn ddarnau mân, neu o leia achosi niwed difrifol iddi... Ond pam?
Wel cred ti fi, os caf i afael ar y cythraul, fe deimlith e fy nwrn i'n ffrwydro mewn i'w drwyn e!

Bydd rhaid i ni fod yn wyliadwrus... Gwell cymryd golwg fanwl o gwmpas y llong
Syniad da...

Hm, ie, ma' eisie bod yn wyliadwrus...

?

Hei!... Smo ti'n mynd i ddianc!

Dyma fi wedi dy ddal di!
HELP!

Y BLAGARD!
Y BLINCIN FFLIP!

Dere mâs fan hyn i'r golau i fi gael gweld dy wep di, yr yffarn!

Nefi! Yr Athro Bahnanaschpiel yw e!
Mi wna i gŵyn swyddogol i'r Capten, dwi'n deud 'tha chi!

Athro Bahnanaschpiel, gadewch i mi eich cyflwyno i'r Capten Hadog... Rhaid i chi faddau iddo, ond dim ond ychydig funudau'n ôl fe ddaethon ni ar draws ymgais i ddifrodi'r llong...
Ymgais i ddifrodi'r llong? Ond sut hynny?
Deinameit wedi'i osod i ffrwydro ar ar y dec!

Yn ffodus iawn, llwyddodd Milyn i ddiffodd y ffiws... Dewch i weld.

?
Beth sy?

Mae'r deinameit wedi diflannu!...
?
Mawredd mawr!

Ond roedd e fan hyn dwy funud yn ôl... Dwi ddim yn deall y peth!
Myn asen i!

DING
DING
DING

DING
DING
DING
DING
Cloch y llong yw honna!

Wnest ti godi rhywbeth oddi ar y dec draw fanna?
Naddo.

Sneb fan hyn!

OES 'NA BOBOL?
!
Pwy sy'n galw?

Yfi ydy'r Athro Cantonneau. Hoffwn i siarad efo'r Capten...
Fi yw'r Capten...

BANG
?

Yr Athro Cantonneau! Be sy 'di digwydd iddo fo?
Sda fi ddim clem... Falle taw baglu dros y cês wnaeth e...
Athro...

Ond... Fi sy biau'r cês 'na!... Y cês wnes i ei adael yn eich caban chi, Capten.

Dudwch, be ddigwyddodd?
Wn i ddim... Wn i ddim... Fel 'sa rhwbeth 'di syrthio ar fy mhen...

HA! HA! HA! HA! HA!

Ha! Ha! Ha! Ha!

O'r Nef y daw'r Farn Fawr! Glywsoch eiriau i'w gochel gan y proffwyd Theophilus Theomemphus!

Fe!... Fe wnaeth daflu'r cês i lawr!

A thrwy ffawd y canfyddais hwn... "Modd fflamol, medd y fflymon, mwyaf a hwyaf yw hon!"

Dyna'r deinameit! Yr hen ddyn dwl 'na sy wedi ei gymryd e, ac mae e ar fin ffrwydro'r llong!...

Sdim eiliad i'w golli!

"Maint a gylch o'i hamgylch hi, mantell y ffyrmamenti!"

Ti... Rwy'n dy adnabod di! O blith lleng Luwsiffer... Ymaith â thi!

!

ORA

Ffiw! Roedd hwnna'n agos!... Gredes i ei fod e'n mynd i ffrwydro cyn taro'r dŵr!...

Er mwyn popeth, mae hyn yn hurt!... Dewch lawr nawr!

Tro yn ôl at Luwsiffer!... "Mae enw marwolaeth mynych yn anfon gwreichion o'r gwrych!"

Yn uwch ac yn uwch, tua'r sêr!
Druan ag e... Beth os wnaiff e ddisgyn?

Ym... Mistar Proffwyd, beth am bwyllo? Dewch lawr 'da fi... Drychwch, rwy'n mynd lawr nawr...

"Rhai'n dda eu campau, doniau tân, rhai'n ddrwg o'r hen ddarogan!"

Clywch, f'annwyl Theophilus!... Yfi, eich hen gyfaill Didymus sydd yma... A gofiwch i ni gydweithio ar un adeg yn yr arsyllfa?... Rwy'n erfyn arnoch i ddod i lawr!

Nid Didymus Bahnanaschpiel wyt ti! Cymeraist ei bryd a'i wedd, ond cythraul wyt tan fantell...

Ond fi yw'r Capten Hadog, myn diain i!... Fi sy'n gyfrifol am bawb ar y llong 'ma a dyma orchymyn i chi ddod nôl lawr i'r dec ar unwaith! A siapwch eich stwmps!

Dim ond y goruchaf a rydd orchymyn i mi!... Rwyf yma i aros!

Diawch! Dewch lawr nawr neu fe wna i'n siŵr eich bod chi'n cael eich cloi â'ch traed mewn cyffion!
Sdim gobaith rhesymu. 'Rhoswch fan 'na am funud.

?

Nawr 'te, dylai hyn weithio...

Theophilus broffwyd! Was da a ffyddlon, clyw erchiad y goruchaf... Rwy'n dy orchymyn i ddychwelyd at ddiogelwch trigfannau'r meidrol... A gan bwyll, rhag i ti syrthio!

Ww, ym... Yn iawn, syr... Mae'n flin gen i, peidiwch â bod yn grac...

Dyna fe!

Un o'r cleifion sy 'da ni yn diodde dryswch meddwl... Rŷn ni 'di bod yn chwilio amdano fe drwy'r dydd!

Drannoeth...
Dyma dwrw! Mae pawb 'di dod i ddymuno hwyl fawr i'r Aurora...
GLANFA 9

Daeth awr fawr yr Aurora, wrandawyr! Dim ond ychydig funudau sydd eto i fynd cyn i'r llong ymchwil forio allan o ddiogelwch yr harbwr ac i gyfeiriad y gogledd oer. Ar hyn o bryd, mae ffurfioldebau'r seremoni ffarwelio yn dirwyn i ben... Mae'r Capten Hadog newydd dderbyn tusw o flodau gan bwyllgor cymdeithas y Llwyr-Ymwrthodwyr Morol ac lachawdwriaeth Dirwest, y gymdeithas y mae'r Capten yn lywydd anrhydeddus arni...

Pob dymuniad da i chi, Capten... A boed i chi beidio ag anghofio y bydd llygaid y byd a LL.Y.M.A.I.D. yn eich dilyn bob cam o'r daith ryfeddol... hon! Pob hwyl i chi!

Begian eich pardwn, Capten... Odi'r llwyth hyn fod mynd yn syth i'ch caban chi?
Pa lwyth, 'chan?

Hwn...
WISGI
LOCH LOMOND
LOCH LOMOND
WISGI

Ac yn awr mae llywydd y Sefydliad Gwyddonol Ewropeaidd yn cyfarch arweinydd y daith ymchwil, yr Athro Didymus Bahnanaschpiel, ac yn cyflwyno iddo'r faner a gaiff ei chodi yn enw'r sefydliad ar frig y meteorit...

A'r llong yn rhydd o'r lanfa, dyma'r Aurora yn ymadael... Wrth symud allan i'r môr mawr, mae taith yr Aurora i ddod o hyd i seren wib yn cychwyn...

Rydych newydd fod yn gwrando ar adroddiad byw o ymadawiad y llong ymchwil wyddonol Aurora, mewn darllediad ar draws yr holl rwydweithiau yn Ewrop...
Wel, doniol, ynde! Pob dymuniad da i chi, hogia!
Odych chi'n eitha siŵr na fyddan nhw'n llwyddo?

Gyfaill annwyl, rwyt ti wedi bod yn ysgrifennydd i mi yn ddigon hir i wybod mai dim ond llwyddo y gall unrhyw fenter sydd â Banc Biehlwinkel y tu ôl iddo - a phwy sy'n ariannu taith y Peary?... Na phoener, does gan yr Aurora ddim gobaith!
Sai'n mynd i ddadle 'da chi, Mistar Biehlwinkel, ond...

Wel, ia, dwi'n gwybod fod yr Aurora wedi morio 'chydig yn gynt na'r disgwyl, diolch i smonach Bifan efo'r radio... Ond mi dwi 'di sortio'r cyfan!
Yn iawn 'te...

Weli di, mab annwyl dy fam, holl fwriad y daith ymchwil wyddonol i mi yw i feddiannu'r meteorit bondigrybwyll, a hawlio'r mwyn newydd y bu'r Athro Bahnanaschpiel mor garedig â'i gyhoeddi i bawb!... Mae potensial cyfoeth rhyfeddol yn ein disgwyl ni, a dydw i ddim am ei golli o!

Bant â ni, Milyn...
AURORA

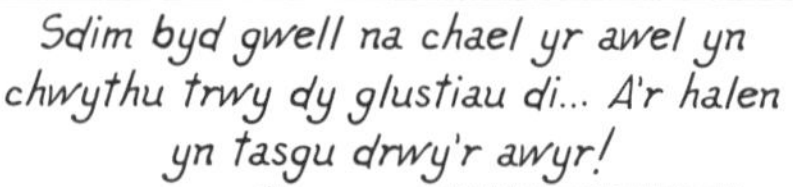
Sdim byd gwell na chael yr awel yn chwythu trwy dy glustiau di... A'r halen yn tasgu drwy'r awyr!

Ti'n gallu clywed gwynt y pysgod...

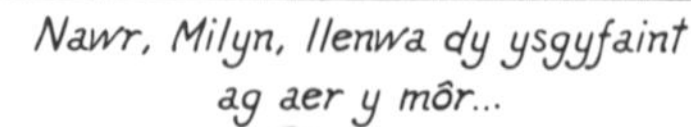
Nawr, Milyn, llenwa dy ysgyfaint ag aer y môr...

Ym, ie... Dere i weld sut ma' pethe wrth y starn... Bydd hi'n amser bwyd cyn bo hir...

AURORA

Drycha, dyna ein hawyren lan fan 'na ar ei chawell... Byddwn ni'n defnyddio honna i chwilio am y meteorit o'r awyr.

?

Reit 'te, stiward!... Fe gei di alw pawb at ei gilydd. Mae cinio'n barod.

Cinio! Dewch at y bwrdd!

I ble'r aeth Milyn?...

Hei, stiward 'chan! Mae'r fwydlen yn gweud fod sosejus i fynd gyda'r tatws potsh 'ma... Wel? Ble mae'r sosejus 'te?

Diawch! Lan a lawr mae'r bwyd yn mynd!

A'r noson honno...

Mae'n amhosib mynd i gysgu... Nefi, mae'r llong yn cael ei thaflu fel pêl ar y tonnau garw 'ma!

Yn y cyfamser, yn São Rico...
Unrhyw newydd gan y Kentucky Star?
Dim byd eto, Mistar Biehlwinkel...

Os nad ydw i'n gallu mynd i gysgu, man a man mynd i weld y Capten wrth y llyw...

Dere, Milyn, mâs â ni i ferw'r gwynt a'r glaw...

Mam fach!... Mae hi'n ddrycin!

Gan bwyll,
Milyn...

Nefoedd!... Gredes i fod y don anferth 'na wedi'n llusgo ni i'r môr... Ond Milyn!... Ble mae Milyn?

Milyn!

Milyn!...

Roedd hwnna'n agos, Milyn!... Iesgyrn Dafydd! Mae'r storm yma'n ddychrynllyd!

Helo! Ti sy 'na!... Mae'n awel deg, on'd yw hi!

Beth?... Awel deg?... Mae hon yn dymestl!
Tymestl? Gad dy ddwli! Dim ond chwa fach yw hon...

Dydyn ni ddim mewn unrhyw beryg, Capten?...
Dim peryg o gwbwl, gwboi! Ond mae eisie bod yn garcus gan ei bod hi'n anodd gweld yn bellach na blaen dy drwyn... Rŷn ni yng nghanol Sianel y Gogledd, a mae hon yn sianel forio ddigon prysur...

Mae 'na nifer fawr iawn o longau yn defnyddio'r sianel, ond bydd pob un â goleuadau llywio i wneud yn siŵr nad ŷn ni'n taro mewn i'n gilydd...

Help!
Mawredd y moroedd!

Tro siarp i'r dde!

AURORA

Yr anghydffurfiwr!... Y bilidowcar!... Y morfil gwyn Ffrengig!... Y bashi-baswc!
Agos!

Myn diain i!... Cwpwl o lathenni yn nes, a bydde fe wedi'n hollti ni'n ddwy!... Y twpsyn ag e, yn morio heb unrhyw oleuadau llywio... Gallen i ddychmygu ei fod e'n fwriadol eisie achosi damwain...
Mae'n ddigon posib mai dyna'n union oedd ei fwriad!

Be ti'n feddwl?
Wel, Capten, mae rhywun eisoes wedi rhoi cynnig ar ddifrodi'r Aurora... Ydych chi'n cofio'r deinameit ar fwrdd y llong y noson cyn i ni forio? Falle taw dyma oedd yr ail gynnig...

Mawredd mawr, Tintin!... Ti'n eitha reit!... Ond pwy?...
Pwy fydde am weld ein taith ymchwil ni'n methu?... Y sawl sydd ar fwrdd y Peary, falle? Neu pwy bynnag sy'n ariannu taith y Peary?...

Wel? Y Kentucky Star sydd yno?
Ie, Mistar Biehlwinkel, neges radio...

Mae'r cyfarwyddyd i suddo'r Aurora wedi'i weithredu gan yr S.S. Kentucky Star. Bu ymdrech heno yn aflwyddiannus. Rydym yn disgwyl eich gorchymyn nesaf.

Wedi methu! Y ffyliaid gwirion! A dyma ni rwan yn ôl i'r man cychwyn!... Ond mi ddaw cyfle eto!

O'r fath ddiflastod... O diar, dwi'n credu 'mod i'n mynd i chwydu eto!
Ooo... Naaa...

Fasach chi'n meindio'n ofnadwy taswn i'n agor y ffenast, er mwyn i mi gael 'chydig o awyr iach?...
Gwnewch fel y mynnwch... Ond gadewch i mi farw mewn hedd...

Weeel!... Teimlo'n well yn barod!

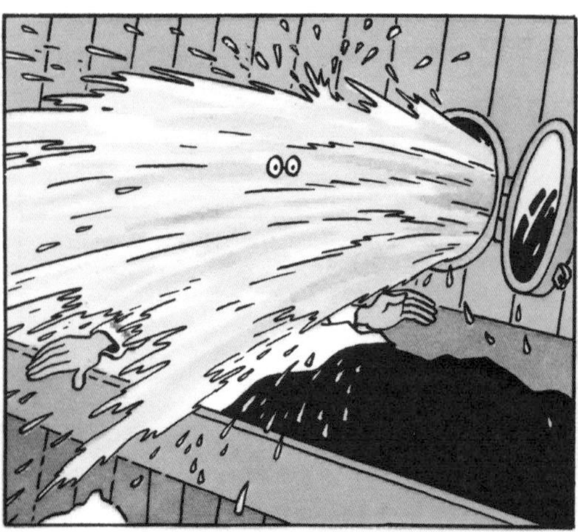

Ymhen rhai dyddiau...
Brrr! Ti'n teimlo'r oerfel, Milyn? Dyma ni yn y Cylch Arctig...

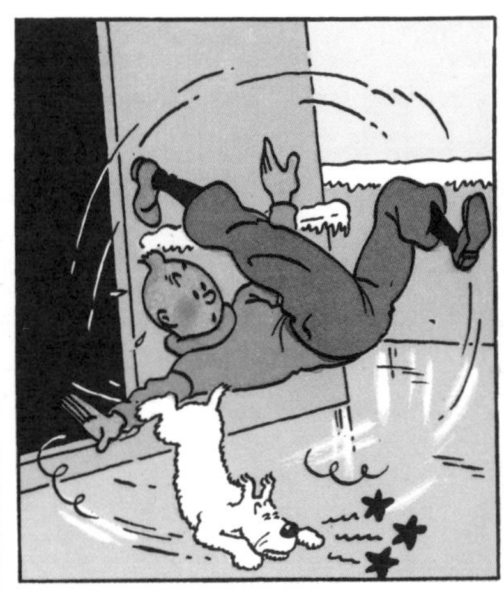

Ddaru chi sylwi ei bod hi 'di rhewi neithiwr?

Mi ddylsach chi roi côt gynnas amdanach... Wnewch chi ddim para'n hir heb gôt!
Chi'n iawn...

Dere, Milyn, y cotiau ffwr amdani.

Mi ddylswn i fod wedi'i rybuddio fo... Mae'r dec 'di rhewi ac yn...

... beryglus!

Nawr, dere i ddweud bore da wrth y Capten.
Aros di nes iddo fy ngweld i 'te!

Mae eisie anfon y neges radio 'ma...
Ai-ai, Capten!

Neges gan yr M.S. Aurora at lywydd y S.G.E. Heddiw, byddwn yn morio i mewn i borthladd AKureyri yn Eyja Fjördur, Gwlad yr Iâ, ac yn llenwi'r llong ag olew tanwydd.

Dyma chi, Mistar Biehlwinkel, y neges wnaeth yr Aurora ei hanfon at y Sefydliad Gwyddonol Ewropeaidd... Newydd gyrraedd yr uned radio.
Dyro fo i mi...

Wela i... Maen nhw am hwylio i mewn i un o borthladdoedd Gwlad yr Iâ... Rhagorol! Rhagorol yn wir! Rwan 'ta, Robaitsh, mae gen i deimlad y cawn nhw aros yno am sbelan reit hir... Mae isho anfon y neges yma ymlaen...
Dwedwch chi, syr.

Banc Biehlwinkel at Bartleby, prif asiant Oel yr Aur yn Reykjavik, Gwlad yr Iâ. Rhaid cyfleu'r canlynol at holl asiantwyr Oel yr Aur yng Ngwlad yr Iâ... Gwaherddir gwerthiant unrhyw danwydd i'r llong ymchwil Aurora... Dyna fo. Rwan, dwi isho anfon y neges yna drwy'r cod arferol...
Iawn, Mistar Biehlwinkel.

Drannoeth...
STOP
ARAF DEG
ARAF
HANNER
LLAWN
YN ÔL
YMLAEN

Wedi cyrraedd Akureyri, o'r diwedd... Fyddwn ni'n aros fan hyn yn hir, Capten?
Jiw jiw, na...

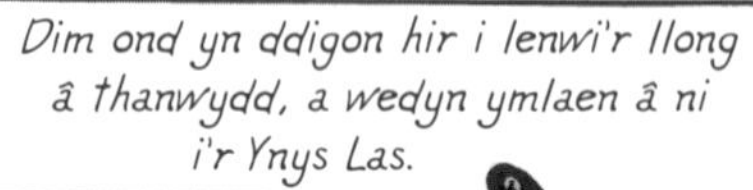
Dim ond yn ddigon hir i lenwi'r llong â thanwydd, a wedyn ymlaen â ni i'r Ynys Las.

Dwy funud fydda i'n archebu'r tanwydd 'ma...
OEL YR AUR
Fe arhosa i mâs fan hyn.

Shw' mae'n ceibo! Nawr, mae eisie llenwi'r llong â thanwydd...
Wrth gwrs... Be 'di enw'r llong?

Y llong ymchwil Aurora, a fi yw'r Capten Hadog.
Ym, chi yw Capten yr Aurora?

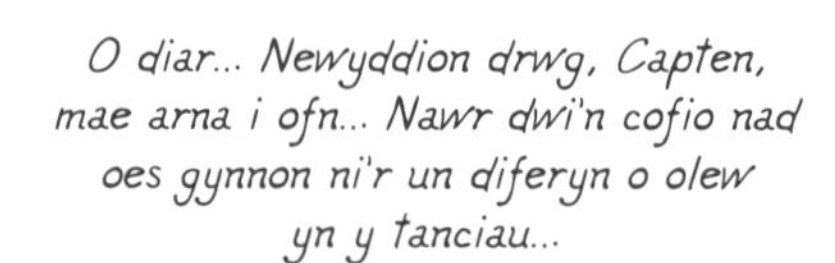
O diar... Newyddion drwg, Capten, mae arna i ofn... Nawr dwi'n cofio nad oes gynnon ni'r un diferyn o olew yn y tanciau...

?

Eee? Beth ti'n feddwl, gwboi?... Dim olew? Ti'n tynnu 'nghoes i!... Gwranda, mae'n rhaid i fi lenwi'r llong ag olew!
Dwi'n deall hynny, ond fedra i ddim... Hynny ydy, does gen i ddim olew!

Beth yw'r holl dwrw?
OEL YR AUR

Mae hyn yn warthus! Gwarthus! Ti'n clywed?
OEL YR AUR

Ar dy ben di fydd hi!

OEL YR AUR

OEL YR AUR

Capten... Dwedwch, beth ddigwyddodd...
Mae'n debyg nad oes un diferyn o olew yn y tanciau gyda chwmni Oel yr Aur!

Ond gallwn ni fynd i brynu olew drwy asiantaeth arall?...
Asiantaeth arall? Fachgen, gydag Oel yr Aur mae'r monopoli ar werthu tanwydd ar draws Gwlad yr Iâ.

Mae hynny'n golygu nad oes modd i ni adael fan hyn...
Yn gwmws! Ac yn y cyfamser, wrth gwrs...

...mae'r Peary yn morio ymlaen!

Yr yffarn! Oes rhaid chwifio dy freichiau fel rhyw felin wynt?!

Fi? Fel melin wynt?... Pwy wyt ti i siarad, y bashi...!
Ond...

Gadji... Beri... Bimba...
Glandridi... Lawli...

Lonni... Cadori...
Gadjama... Bim... Beri...

Glasala... Glandridi...
Tuffm... I simbrabim!
?

Caio 'chan!... Smo ti 'di newid o gwbwl!
Hadog! Diawch, fachgen, ti a dy gleme!

Tintin, dere i gwrdd â hen ffrind... Capten Caio, bachan fues i'n morio gydag e am fwy nag ugain mlynedd!
Rwy'n falch i glywed! Rôn i'n meddwl eich bod chi ar fin lladd eich gilydd!

Wyt ti fan hyn i lenwi dy long â thanwydd?
Paid â sôn!... Sdim un diferyn o olew ar yr holl ynys 'ma! Glywest ti shwd beth erioed?

Dim olew?... Ond mae mwy na digon gyda chwmni Oel yr Aur. Dim ond nawr rôn i'n setlo 'da nhw i lenwi fy llong bysgota i, y Sirius, gyda thanwydd bore fory...
Beth ddwedest ti? Myn yffarn i!

Mawredd y moroedd mawr! Fe ddysga i wers i'r diawled bach 'na am wneud ffŵl o'r Capten Hadog!

Lladron pen ffordd!... Methodistiaid!.. Fflipin blincs!... Pryfed bach tew!...
Hadog!...

Gadewch fi'n rhydd!... Os caf i afael ar y blincin fflips!... Fe ddysga i wers i'r blwmin blagardied 'na!
Pwylla, Hadog, da ti...
Capten!

Nawr, gwranda arna i, paid â gwastraffu dy amser... Wyt ti'n gwbod pwy sy'n ariannu taith ymchwil y Peary?... Wel, fe nethon nhw gyhoeddi'r bore 'ma taw Banc Biehlwinkel, São Rico, sy tu ôl i'r daith...
Beth yw'r ots? Diawl, mae eisie olew tanwydd arna i!...

Fi'n deall 'ny... Ond wyt ti'n gwbod pwy sy'n berchen ar Oel yr Aur? Na?... Wel, Banc Biehlwinkel, São Rico, dyna pwy! Nawr wyt ti'n gweld?
?

Reit! Fi'n mynd i rwygo'r bashi-basŵcs na'n ddarne mân!
Capten, mae gen i well syniad...

Beth? Syniad i gael olew tanwydd?
Ie...
Ewn ni i'r bar, ife? Fe gewn ni drafod y cyfan dros ddiferyn bach o wisgi...

Parry! Potel o wisgi, a thri gwydryn, plîs...
Dim wisgi i fi, dim ond dŵr.
Reit, Parry, dau wydryn wisgi, a dŵr i'r crwt!

Ond Hadog, nawr fi'n cofio... Ti yw llywydd cymdeithas y Llwyr-Ymwrthodwyr Morol ac Iachawdwriaeth Dirwest... Smo ti'n cael yfed wisgi, felly dŵr ffynnon i ti hefyd...
Jiawch... Ti'n iawn... Dŵr i fi 'te...

Dyna ddigon, Tintin, diolch...

Iechyd da i ti, Hadog!
Ac i ti hefyd!... Gwranda, smo fi moyn i ti deimlo mâs ohoni, felly dere â diferyn o wisgi i fi gyda'r dŵr 'ma... I gofio'r dyddiau da gyda'n gilydd...

Dim ond diferyn, cofia...
WISGI

Dyna fe, digon...

Beeendigeeedig!... Diawch, ma'r dŵr ffynnon yn y parthe hyn yn donic!

Reit, beth yw dy syniad di?...
Ble mae eich llong chi wedi'i hangori?
Ie, ble mae'r Si-Si-Sirius 'da ti?

Reit tu ôl i'r Aurora...
Da iawn!... Ac fe fyddwch chi'n llenwi'r llong â thanwydd bore fory. Nawr 'te...
Ie, gwranda di ar y boi bach clefer hyn!

Drannoeth...
OEL YR AUR II

Dudwch, Capten, oes 'na dwll neu rwbath yn eich tancia tanwydd?
Tancie mawr, frawd... Caria di mlaen i bwmpio'r olew.

Dyna ni, Capten! Mae ein tanciau ni'n llawn...

Wnei di anfon y neges yma?...
"Bartleby, Oel yr Aur, Reykjavik. Yn unol â'ch gorchymyn, yr Aurora i aros yma hyd nes y daw cyfarwyddyd newydd." Saith Krónur i anfon hwnna...

TŴŴŴŴT
ELEGRAFF

Rhaid mai'r Sirius sy'n gadael...

Nid y Sirius ydy honna! Yr Aurora yw hi!

?
Da bo ti, gwboi!... Mae'n torri 'nghalon 'mod i'n gorfod gadael fel hyn!

Wel, dyma ni nôl ar y daith... Nawr 'te, amser bwyd!

A dyma fe, y dyn pwysica ar y llong... Beth sy ar y fwydlen heddi, Mistar Cogydd?
Sbageti heddi!

BLAM

Melltith ar y ci 'na!... Os caf i afael arno fe!
Dyna be sy'n dod os wyt ti'n gadael dryse ar agor!

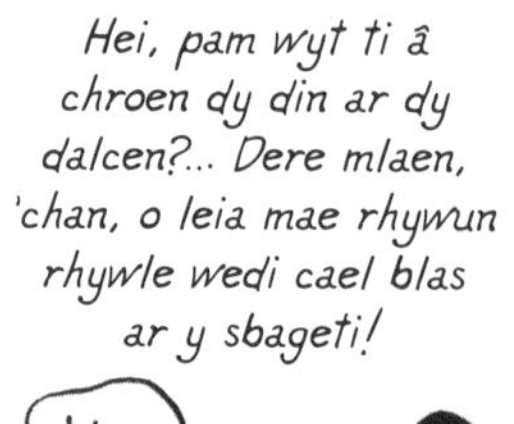
Hei, pam wyt ti â chroen dy din ar dy dalcen?... Dere mlaen, 'chan, o leia mae rhywun rhywle wedi cael blas ar y sbageti!

Tria wenu... Fe neith e les i ti...

Sdim iws anghofio shwd ma' chwerthin ar adege fel hyn...

Picls Porthcawl a chocls Ceinewydd hefyd!... Y blwmin ci 'na... Os caf i 'nwylo ar y cythrel bach digywilydd!

Ymhen wythnos...

Reit 'te, rŷn ni fan hyn, wedi croesi llinell paralel 72... Rwy'n credu ddylen ni gyfyngu'r chwilio i'r ardal rhwng 73 a 78 i'r Gogledd, ac 8 a 13 i'r Gorllewin... Ydyn ni i gyd yn gytûn?
Ydyn...

Yn bennaf oll, sdim eisie cymryd unrhyw risg, a chadwch o fewn yr ardal fel wnaethon ni gytuno...

Gwnewch yn siŵr eich bod yn cadw mewn cysylltiad ar y radio... Pob hwyl i chi, bois... A llygad fain am y meteorit...
S.G.E.

S.G.E.

AURORA

A bant â'r cart...
Dowch i ni obeithio na fyddan nhw'n disgyn i unrhyw draffarth...

S.G.E.

Helo?... Helo?...
S.G.E.

Helo?... Fi'n dy glywed di'n iawn, Tintin... Beth wedest ti? Ti'n gweld rhywbeth?
Y meteorit ydy o?

Rhywbeth anarferol iawn... Mae'r awyr yn glir, ond fod colofn anferth o stêm yn codi tua 20 gradd i'r Dwyrain...

Gan bwyll!... Y clustffonau!...

Helo?... Helo?.... Helo?.... Pam nad yw Tintin yn ateb?

Yn y cyfamser...

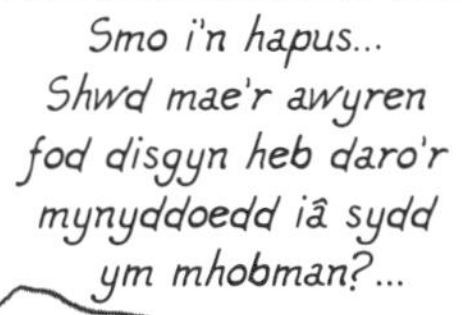

Dal yn dynn, Milyn...
Mae hyn yn mynd i fod yn dipyn o sgrech!

Mawredd y moroedd!...
O fewn dim i daro'r mynyddoedd iâ...

Cau dy lygaid, Milyn!
S.G.E.

S.G.E.

S.G.E.

Da iawn, gwboi!

Capten, does dim munud i'w golli...
Pa newydd?

Mae'n rhaid i ni ddal llong y Peary, sy ryw 150 milltir ar y blaen...
Ond os yw hi 150 milltir o'n blaen ni...

S.G.E.
...man a man i ni roi'r gore iddi - maen nhw wedi ennill!

Dyw hi ddim ar ben eto, Capten... Dewch i ni gael golwg arall ar y siartiau.
Ofer...

Nawr, mae'r Peary ar y blaen... Ond rŷn ni'n gallu morio ar gyflymder o 16 not, sef 16 milltir fôr, ac mae hynny'n 4 not yn gynt na'r Peary. Gallwn ni eu dal nhw... Os ydyn nhw 150 milltir ar y blaen, fe gymerith hi $37\frac{1}{2}$ awr i ni eu dal...
Ond byddan nhw wedi cyrraedd y meteorit erbyn 'ny...

Mae'n rhaid i ni fentro, Capten!... Gyda'r Peary yn ein golygon, nid nawr yw'r amser i ildio'r cyfan...
Mae Tintin yn hollol gywir, Capten.
Fi'n clywed be chi'n gweud... Ond 150 milltir...

Mae'n amhosib!... Ofer fydd pob ymdrech. Rhaid derbyn hynny a throi am adre...

Wel, iawn 'te... Ym, Capten... Rwy wedi sythu ar ôl y daith yn yr awyren... Bydde diferyn bach o wisgi yn gwneud y tro...
Wisgi?... Dal di mlaen, ma' 'da fi botel ar gyfer argyfwng...

Ydych chi am gael gwydryn hefyd, Capten?
Odw glei!
WISGI

O ystyried y peth, mae'n siŵr eich bod chi'n iawn... Ond does dim cywilydd mewn colli... Fe rown ni'r ffidil yn y to 'te...
!

Hwpo'r ffidil yn y to?... Byth!... Ffidl-di-di, ffidl-di-dô, nid dyma'r amser i roi'r ffidil yn y to!... Mae'r wobr o fewn ein cyrraedd ni, bois bach!... Fe ddangoswn ni i'r môr-ladron 'na fod digon o wmff gyda ni i gario'r dydd, myn yffarn i!

Dewch mlaen! Doed a ddêl! Ni bant, bois, i hawlio'r meteorit!

Tynn dy fys mâs, Jim!... Picls Porthcawl! Mae eisie i ni siapo hi!... Ymlaen â ni!... Mae'r gelyn 150 milltir ar y blaen, ac mae eisie i ni ddala nhw'n glou!

Wrth y llyw! Dal di ati, o'r Dwyrain tua'r Gogledd... A chadw lygad am fynyddoedd iâ!
Ai-ai, Capten!

Ganol dydd drannoeth...
Hwrê!... Dyna fe!... Y mwg du yn codi o'r Peary!

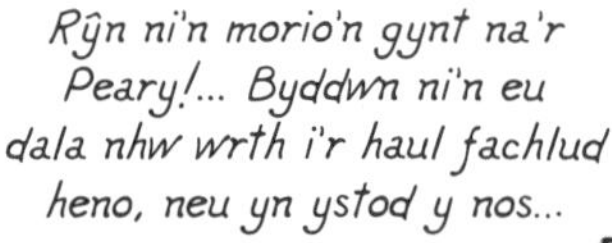

Rŷn ni'n morio'n gynt na'r Peary!... Byddwn ni'n eu dala nhw wrth i'r haul fachlud heno, neu yn ystod y nos...

Capten!... Neges!

!

Darllen hwn, Tintin... Mae arna i ofn fod rhaid i ni roi'r gorau iddi y tro yma... Pa ddewis arall sy 'da ni?... Jiawl, does dim dewis mewn gwirionedd!
!

Wyt ti'n fodlon gofyn i'r gwyddonwyr ddod i'r stafell fwyta? Mae 'da fi newyddion pwysig iddyn nhw...

Gyfeillion... Rŷn ni newydd dderbyn y neges yma dros y radio... Neges argyfwng yw hi, ond dyw'r neges gyfan heb ei derbyn yn glir... Mae enw'r llong yn anghyflawn...

S.O.S. PEN....
70°45' GOG,
19°12' GORLL,
WEDI TARO
MYNYDD IÂ...
LLENWI Â DŴR
... ANGEN
CYMORTH
BRYS...

Fel y gwelwch, gyfeillion, mae 'na ddewis yn ein wynebu... Morio i roi cymorth i'r llong yma sy mewn argyfwng, gan roi'r gorau i unrhyw obaith o gyrraedd y meteorit o flaen y Peary... Neu bwrw ymlaen tua'r meteorit gan anwybyddu'r neges argyfwng... Eich penderfyniad chi.

Toes na'm angan i chi ofyn, Capten. Os oes yna fywydau mewn peryg ar y môr, mi awn ni atyn nhw i geisio rhoi cymorth, hyd yn oed os gollwn yr unig gyfla i hawlio'r meteorit...
Rôn i'n tybio mai dyna fydde'ch ateb, Athro. Diolch i chi...
Da iawn.

Dere, gwell i ni anfon neges yn ôl, er mwyn iddyn nhw wybod ein bod ni ar y ffordd...
RADIO
?

Diawch, bron i fi anghofio cau'r drws 'na eto...

Dyma'r llong ymchwil Aurora yn ateb neges argyfwng y llong "Pen". Derbyniwyd eich neges, a rŷn ni nawr yn brysio i'ch cyfeiriad... Cadwch mewn cysylltiad ar y radio. Dymunwn y gorau i chi.
AURORA

Wel?
Dyna'r drydedd waith i fi ddarlledu'r neges... Ond does dim ateb wedi dod nôl.

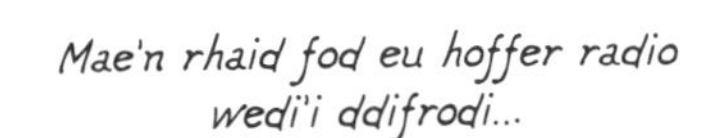
Mae'n rhaid fod eu hoffer radio wedi'i ddifrodi...

Oni bai...

Oni bai eu bod nhw wedi suddo'n barod?...
Nage...

Capten, wnewch chi adael i fi anfon neges?
Wrth gwrs...

?

Ife dyna beth wyt ti eisie'i ddarlledu?... Ond Tintin, beth yw'r pwynt? Pa ots beth yw enw'r llong?... A byddi di lan drwy'r nos yn disgwyl am atebion...
Fi'n gwbod...

Gwna di fel y mynni, ond mae'r syniad yn un gwallgo... Fi'n mynd i'r gwely!
Nos da, Capten... Nawr, gawn ni anfon y neges 'ma?
Iawn.

Dyma'r llong ymchwil Aurora yn darlledu at bob cwmni llongau... A wnaiff unrhyw gwmni sy'n berchen ar long ag enw yn dechrau "Pen" ein hysbysu ar unwaith o enwau llawn y llongau hynny... Ac o enw unrhyw long sydd mewn argyfwng 70°45' i'r Gogledd, 19°12' i'r Gorllewin...
AURORA

Drannoeth...
Bore da! Oes rhywun wedi ateb dy neges di eto?

Dyna'r cyfan?... Wel, beth yw enw'r llong sy mewn argyfwng 'te?
Dim syniad! Drychwch ar y rhain...

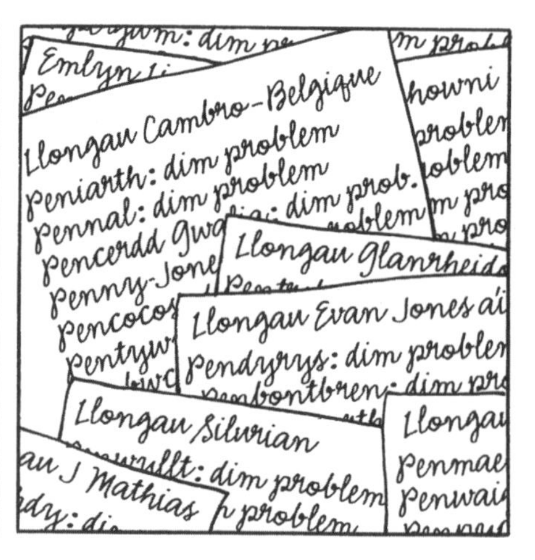
Llongau Cambro-Belgique
Peniarth: dim problem
Pennal: dim problem
Llongau Silurian

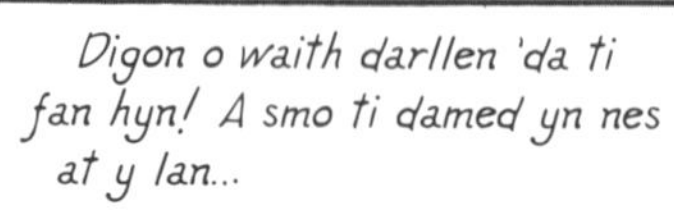
Digon o waith darllen 'da ti fan hyn! A smo ti damed yn nes at y lan...

Husht!... Dyma neges arall...

Ie?
Dyma ni, o'r diwedd... Enw'r llong! Y Penblewin yw hi...

Neges at y llong Aurora. Mae'r llong Penblewin mewn argyfwng 70°45' i'r Gogledd, 19°12' i'r Gorllewin...

Dyma dy ateb! Y Penblewin yw'r llong mewn argyfwng, ac mae hi'n eiddo i gwmni Raff ap Robert...

Am beth wyt ti'n dishgwl nawr? Dyddiad penblwydd y capten? Faint o wallt sy gydag e ar ei ben?... Beth arall wyt ti eisie gwybod?

Mae 'na un ôl-nodyn bach, Capten... Ydych chi'n sylweddoli nad oes llong o'r enw'r Penblewin yn bodoli?

!?

Beth wedest ti?... Ti'n siarad dwli nawr...
Mae'n wir, Capten! Dyw'r Penblewin ddim yn bodoli, a dyw cwmni Raff ap Robert ddim yn bodoli chwaith... Does dim sôn amdanyn nhw yn y cyfeiriadur morol... Neges ffug oedd y neges argyfwng!

Neges ffug?... Neges ffug?... Does bosib fod y Peary wedi hala neges ffug er mwyn ein maeddu yn y ras?... Pa forwr fydde'n neud shwd beth?!
Falle nad morwr oedd yn gyfrifol, Capten... Beth am noddwyr y Peary?

Mawredd y moroedd! Fe fyddan nhw mewn argyfwng pan gaf i afael arnyn nhw!

Mae eisie i ti hala'r neges ganlynol... Neges gan y llong ymchwil Aurora at y ffugwyr Raff ap Robert... Wedi'n siomi ddifrifol gan eich twyll... Na, mae eisie'i ddweud e'n gryfach... Y diawled! Y môr-ladron! Y Philistiaid! Y bashi-baswcs! Yn gywir iawn, Capten Hadog.

Dewch, Capten... Mae gyda ni ras i'w hennill!
Ac ychwanega: y blincin fflips!

Wrth y llyw! Tro'r llong yn siarp i'r dde!

Reit, prif beiriannydd, rŷn ni'n troi i fynd ar ôl y Peary eto, felly mae eisie i ni godi stêm!
Ydy hi'n bosib i ni ddal y Peary?...

Codi stêm, Capten?... Ond mae hynny'n amhosib... Rŷn ni eisoes yn mynd mor gyflym ag y gallwn ni...
LLAWN
HANNER
ARAF
STOP

Sdim ots 'da fi! Hwp e mewn gêr a falle eith e'n gynt!

Neges argyfwng ffug!... Y diawled, myn yffarn i... Oni bai amdanat ti, Tintin, bydden ni'n dal yn hwylio nôl i gyfeiriad y de!... Beth wnaeth i ti amau...

Picls Porthcawl! Beth sy 'di digwydd?

O, ym... Rhaid bo fi 'di cwympo i gysgu...
Ti 'di bod ar ddihun drwy'r nos... Gwell i ti fynd i gael tamed bach o gwsg, gwboi.

Iawn, beth os wna i gymryd awr fach i gysgu?
Cymer ddwy...

Milyn!... Dere mlaen...

Diawch! Mae'n amlwg nad oedd pwy bynnag ddyfeisiodd y grisie 'ma yn berchen ar gi!

Milyn!... Dere, wyt ti'n dod?

Rwy wedi llwyr ymlâdd... Yn cysgu ar fy nhraed!
Wyt ti'n fodlon datod cwlwm fy het?

Nawr 'te, Milyn, fi'n mynd i gysgu fel mochyn.

CNOC
CNOC
CNOC
Helo?

Fi sy 'ma! Agor y drws!
Iawn...

Darllen hwn... Neges gan y Peary at ei noddwyr...

Neges gan y Peary at Biehlwinkel, São Rico. Llwyddiant! Mae'r meteorit o fewn golwg!

Dyna'r hoelen ola yn yr arch!...

WOWOW!

Na, dyw hi ddim ar ben, Capten!... Yr awyren!... Paratowch yr awyren i hedfan!...

Dwedwch wrth y peilot ein bod ni'n mynd i hedfan ar unwaith.
Reit!
Beth am y fforti wincs?

Gwell i ti aros fan hyn y tro 'ma, Milyn...

Paid â chynhyrfu, Milyn bach... Bydda i nôl cyn bo hir!
S.G.E.

S.G.E.

WOW-OW-OW-OW!
Dere nawr, Milyn...

WOW-OW-OW-OW!
WOW-OW-OW-OW!

Dyw clywed Milyn yn udo ddim yn argoeli'n dda...

?

Be sy arno fo rwan?... Fel tasa fo'n llawenhau!

Mawredd!... Mae'r awyren yn dod nôl...

Maen nhw'n disgyn... Oes rhywbeth o'i le?

Y faner!... Rŷn ni wedi anghofio'r faner i'w chodi ar y meteorit.
Iyffach... Ti'n iawn!
S.G.E.

Fe âf i'w mofyn hi!

Dyma ti...
Diolch!

Bant â ni!
Milyn!... Hei, dere nôl!
S.G.E.

Tintin! Watsha mâs am Milyn!...

Iechydwriaeth!... Dŷn nhw ddim wedi gweld Milyn!
Rargian!

S.G.E.

Y radio!... Gwell i fi anfon neges i'w rhybuddio nhw!

Helo?... Helo?... Tintin, wyt ti'n clywed?... Mae Milyn gyda chi... Yn dala'n sownd â blaen ei bawennau bach ar yr adain chwith!

!
!

Rhaid i ni ddisgyn!
Na, does gyda ni mo'r amser i golli...

Helo, Capten!... Mae Milyn yn ddiogel... Ydi, mae e fan hyn ar fy ngharffed!

Rŷn ni'n nesáu at y meteorit... Dyna'r golofn o stêm yn codi o'r môr...
S.G.E.

Ymhen ychydig...
Helo?... Capten Hadog sy fan hyn... Pa newydd, Tintin?
AURORA

Does dim un mynydd iâ i'w weld, a rŷn ni dipyn yn nes at y golofn stêm erbyn hyn... Mae'n siŵr na fyddwn ni'n hir cyn cyrraedd.

A dyna hi! Rwy'n gallu gweld y meteorit!

Dyma Tintin yn galw... Mae'r meteorit o fewn golwg!

Ti'n gweld y meteorit?... Hwrê! Disgrifia beth wyt ti'n gallu'i weld...

Mae'n gorwedd yn y dŵr ar ogwydd sy'n codi'n raddol... Ond... Mam fach! Mae'r Peary wedi cyrraedd o'n blaen ni!

O jiw jiw... Mae'r Peary wedi'n maeddu ni.

Gwed 'tha i... Wyt ti'n gallu gweld baner y Peary yn cyhwfan ar y meteorit?

Baner y Peary?... Arhoswch funud... Na, does dim golwg o'u baner nhw...

Felly mae 'na obaith i ni o hyd, Tintin!

Falle... Mae 'na brysurdeb ar fwrdd y Peary... Rwy'n credu eu bod nhw'n...

Ydyn, maen nhw wedi lansio'r bad bach i'r môr...

O'r diwedd, dyma ni'n hawlio'r meteorit!
"PEARY"

RRRRRRRRRR
Beth yw hwnna? Sŵn injan?...
Yn fan 'na, Capten... Awyren!

Melltith! Dyna awyren yr Aurora...

Ond does dim ots... Erbyn iddyn nhw ddisgyn ar y môr a chael eu bad bach yn barod, byddwn ni wedi hawlio holl freintiau'r seren wib.

S.G.E.

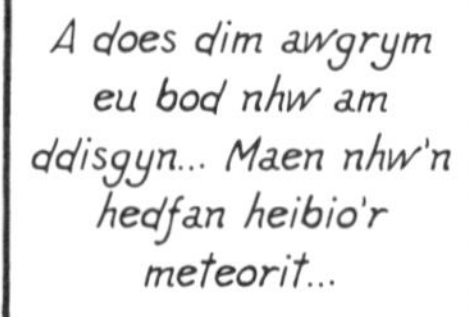

A does dim awgrym eu bod nhw am ddisgyn... Maen nhw'n hedfan heibio'r meteorit...

WOWOW!

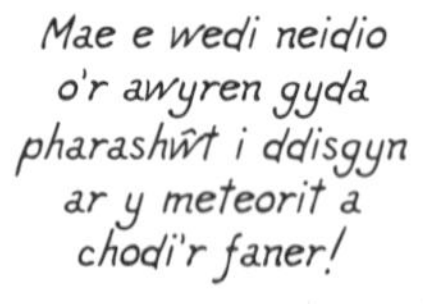

Mae e wedi neidio o'r awyren gyda pharashŵt i ddisgyn ar y meteorit a chodi'r faner!

Jiawcs!... Y faner!

Lwcus!

Ac mae e'n mynd i gyrraedd o'n blaen ni!
Mi fedra i roi stop ar hynny!
PEARY

Brysiwch,
hogia!...

Dewch o 'na!...
Yn gyflymach, neu mi
fydd o yno o'n blaen ni!

Bron â chyrraedd...

Mae hi 'di canu arnon ni... Mae e
ar fin disgyn!
Os bydd un cyfle...

?

Beth sy arnot ti, Iwcs?!
Wyt ti'n wallgo?

O na!... Mae'r gwynt yn fy
nhynnu i ffwrdd...

?

Hwrê, hogia!
Dyma ni wrth y lan!

Dere nawr...

Nefi! Pam oedd eisie clymu hwn mor dynn?!

Ylwch... Mae o 'di codi'i faner!

S.G.E

S.G.E.

Mae'r meteorit yn eiddo i ni! Mae'r faner yn cyhwfan!

Buddugoliaeth!

Dyma'r awyren yn disgyn...

Mae Milyn yn dod i ymuno â ti... Mae e'n gwrthod aros gyda fi fan hyn!
Wowow!
Dere mlaen 'te, Milyn...
S.G.E.

?
WOOWAAAW!
S.G.E.

Milyn bach! Beth sy'n bod?... Wyt ti wedi cwympo'n lletchwith ar y cerrig?...
WOOWAAAW!

IAW! WAAW!

IAW!... AAAW!... WAAW!
WOWAAW!

Mae'r dŵr yn ferwedig!
S.G.E.

Helo?... Helo?... Helo?...

Ie, fi sy 'ma... Ydych chi o ddifri?... Gymerith hi dridiau?... Yn iawn, wrth gwrs...

Mae gan yr Aurora broblem â'r injan, sy'n golygu fod yn rhaid iddi arafu ar ei thaith yma... Bydd hi'n dridiau eto cyn ei bod hi'n cyrraedd, ond gallwn ni ddim aros fan hyn heb unrhyw fwyd. Dere, fe hedfanwn ni nôl at yr Aurora gan ein bod ni wedi hawlio'r meteorit yn llwyddiannus...
S.G.E.

Ond fedra i ddim gadael... Mae'n rhaid i rywun aros yma i warchod y meteorit... Beth wnawn ni, felly?

Fe wna i aros fan hyn nes dy fod ti'n dod nôl ag unrhyw nwyddau angenrheidiol... Mae hynny'n gwneud synnwyr...
Tintin, smo ni'n mynd i aros fan hyn ar ein pennau ein hunain?
S.G.E.

Iawn 'te... Mae gen i damaid bach o fwyd - bisgedi, afal a photel o ddŵr... Fe wna i adael rhain gyda ti.
S.G.E.

Dyma ti...
Diolch!

Hwyl am y tro, a phob lwc! Bydda i nôl yn fore.

Ac i ffwrdd ag e.
Bydda i'n falch o'i weld e nôl!

Nawr, Milyn, dere i ni gael tamaid bach i fwyta...
Fi'n llwgu!

Afal, bisgedi'r llong a dŵr... Wnawn ni ddim marw o newyn, Milyn!
Dwed ti.

Newyn... Hei, mae hynna'n fy atgoffa i o'r hen broffwyd Theophilus Theomemphus yn darogan newyn a digofaint!

A'r hunllef 'na pan oedd e'n fy mygwth i... "Wele'r Farn Fawr a ddaw ar ffurf anghenfil o bry cop!"

Mor bell i ffwrdd, ond mae e'n anfon ias drwydda i wrth feddwl am y peth...

Corryn!

Lladda fe, Tintin!

Wedi diflannu dan y cerrig...

Anghofia amdano fe, Milyn...

Mae gyda ni wledd o'n blaen... Beth bynnag y dywed hen broffwydi â'u sŵn dong! dong! dong!

DONG
DONG
DONG
!

Y gloch yn seinio ar y Peary...
DONG
DONG
DONG

Mae'n siŵr eu bod nhw'n paratoi am swper hefyd...

Wedi gorffen yn barod, Milyn? Does gen i ddim byd arall... Mae'n rhaid i ni gadw gweddill y bisgedi ar gyfer fory.

Diawch, fe allen i fwyta ceffyl! O leia mae gan Tintin afal... Falle ffeindia i rywbeth os edrycha i...

Ych a fi! Hen gynrhon bach diflas yn yr afal!
Dim byd...

Wps!

Dere, Milyn, mae'n bryd i ni gael ychydig o gwsg... Rwy wedi blino'n lân.

Bydd y parashŵt yn ddefnyddiol... Gallwn ni wneud sach gysgu glyd allan ohono fe.

Mae'r awyr yn ddigon cynnes, cofia... Anhygoel, o feddwl ein bod ni mor agos at Begwn y Gogledd.

Nos da, Milyn. Cadw lygad yn agored am bobol sy'n tresbasu!

BŴM

?

Glywest ti sŵn ffrwydro, Milyn?... Drycha, mae'r Peary wedi mynd... Rhaid ei bod hi wedi codi angor pan oedden ni'n cysgu.

Ond beth oedd y ffrwydriad 'na?... Neu ife breuddwydio oeddwn i?

BŴM
!
Tintin... Gwna rywbeth!

Rhaid bod craig y meteorit yn dechrau hollti - dyna yw'r sŵn ffrwydro...

Ond does dim ôl hollt i'w weld fan hyn... Beth felly?
!
Wowow! Wowow!

Beth wyt ti wedi dod o hyd iddo, Milyn?

Ŵy?... Ŵy?.... Mam fach! Pwy, neu beth, sydd wedi dodwy hwnna?
Cewn ni ŵy wedi sgramblo i frecwast!

Ond drycha... Ydw i'n dychmygu'r peth? Mae'r ŵy yn tyfu...

Hei, nid ŵy yw e!... Mae e'n debycach i fadarch!

BŴM

Pwy glywodd am fadarch yn ffrwydro ac yn diflannu'n ddim?

BŴM

BŴM
BŴM
BŴM

BŴM
BŴM

Mae pethe fel tasen nhw'n tawelu...
BŴM

Wel, dim mwy o fadarch yn ffrwydro! Ydy hyn yn rhyw ganlyniad i'r mwyn newydd yn y meteorit? Oes 'na syrpreis arall yn ein disgwyl ni?

Husht...

Dim byd... Dim golwg o'r awyren...

Gredes i 'mod i wedi clywed sŵn injan yr awyren...

!!!

Coeden afalau!... Sut yn y byd tyfodd honna fan hyn?... Falle mai calon yr afal wnes i daflu i ffwrdd ddoe... Mae hyn yn rhyfeddol... Anhygoel!
Fi'n cadw draw rhag ofn i'r goeden ffrwydro fel y madarch...

Gall hyn ddim bod...

WOOWOOW!

Cer o 'ma! Bant â ti, yr hen beth hyll!

O ble ddaeth y pryfyn anferth 'na? Does bosib... Wel, ie, rhaid mai un o'r cynrhon oedd yn yr afal...

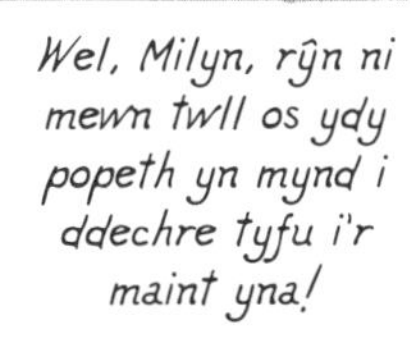

Wel, Milyn, rŷn ni mewn twll os ydy popeth yn mynd i ddechre tyfu i'r maint yna!

Ond... Ond... Y corryn!... Y corryn!... Beth os wnaiff e dyfu'n anghenfil o bry cop?
Tintin, smo ti'n gweud...

Os yw e'n dal yn fyw, bydd e'n agos at y goeden afalau... Dyna ble rôn i'n eistedd ddoe...

Gan bwyll bach... Fe all e ddod i'r golwg unrhyw eiliad...

?
BŴM

Mam fach!
BŴM

?
?

Daeargryn?... Diawch, beth arall all fynd o'i le?

Beth yw'r twrw 'na?

O na! Bydd y don anferth 'na yn boddi popeth!

Ffiw!... Diogel... Dyw'r dŵr ddim yn codi rhagor...

Mae'r meteorit cyfan wedi codi ar ei ochr...

Ac yn y cyfamser, mae rhagor o goed afalau wedi tyfu!
Beth am yr hen gorryn 'na?

Husht, Milyn... Clyw...

Rwy'n siŵr mai sŵn yr awyren yw e y tro 'ma... Rwy'n clywed yr injan.

Dyna hi, Milyn... Yr awyren!

Hwrê!... Wedi'n hachub!

Mae'r haul yn gwisgo'i gap ê...

...Hip hip hip hwrê!...
!!!!

...Mae'r haul yn gwisgo'i gap ê...

...Ac mae'n dod mâs i chwarê!

Anghenfil o bry cop!

Os fedra i afael mewn carreg...

Da iawn, dyw e heb symud...

Nawr, mae eisie anelu'n gywir...

Damo!

Help! Daeargryn arall!

Dal dim byd... Ond mae'n rhaid iddo ddihuno!

AAW!

Be sy'n bod arnot ti, Milyn? Pam oedd eisie cnoi fy mhen-ôl?
Dere, siapa dy stwmps!

Be sy'n digwydd nawr?... Mam fach, mae'r meteorit yn mynd i godi cyn plymio i'r môr!

Dere at y grib... Dyna'r unig ddarn o'r meteorit fydd uwchben y dŵr!

Amdani nawr! Mae'r cyfan yn y fantol!
S.G.E.

Beth mae e'n gwneud?... Does bosib!... Mae'n amhosib iddo fe ddisgyn rhwng y tonnau!

Wedi mynd o'r golwg... Gobeithio ei fod e'n sâff...

Dyna fe! Wedi llwyddo i lanio'n ddiogel drwy'r cyfan!

O'r golwg eto tu ôl i'r tonnau...

Hwrê! Mae e wedi gallu rhoi'r bad achub i'r dŵr...

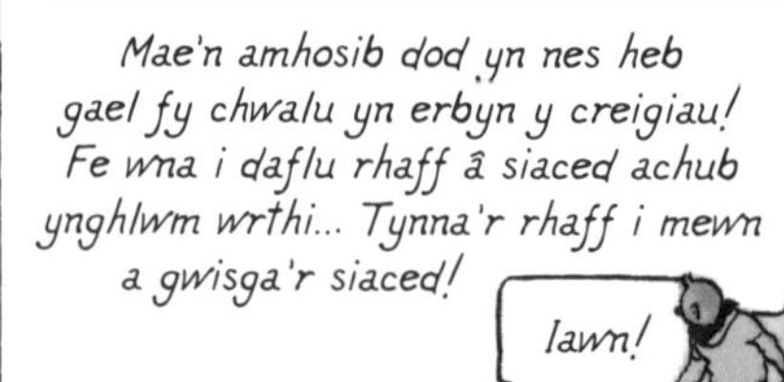
Mae'n amhosib dod yn nes heb gael fy chwalu yn erbyn y creigiau! Fe wna i daflu rhaff â siaced achub ynghlwm wrthi... Tynna'r rhaff i mewn a gwisga'r siaced!
Iawn!

Dere fan hyn, Milyn, rŷn ni'n mynd i nofio at y bad achub...
Nôl mewn i'r dŵr? Byth eto!

Milyn!... Dere fan hyn pan rwy'n galw!

Smo fi eisie mynd nôl mewn i'r dŵr!
WOWOOW!

Paid bod mor ddwl! Dwyt ti ddim yn mynd nôl mewn i'r dŵr!

Rwy'n mynd i dy daflu di... Barod?

Un... Dau...

Na, falle fydd e'n cwympo i'r dŵr... Mae 'na ffordd arall...

Reit, mewn â ti, Milyn!
?

Mae Milyn yn ddiogel, nawr fy nhro i yw hi. Ond yn gynta...

... rhaid ail-osod y faner i gyhwfan tan yr eiliad olaf!

S.G.E

Fe dafla i'r rhaff, a wedyn bydd rhaid i ti dynnu...
Iawn!

Dyma fi'n dod!

Dere mlaen...

Diolch i ti, rwy'n sâff!
Reit, mâs o 'ma!

Nefi! Sut fues i mor dwp?

?

Be ti'n neud? Wyt ti wedi colli dy ben?

Er mwyn popeth, dere nôl cyn i ti foddi gyda'r meteorit!

Os nad awn ni â darn o'r bahnanaschpielit nôl i'r Athro Bahnanaschpiel, bydd ein hymdrechion i gyd yn ofer!

Wyt ti'n barod?

Tintin!... Ble mae e?

Dim golwg ohono...

Diolch byth! Yn dal yn dynn i'r bahnanaschpielit, gyda'r faner hefyd!

Yn y cyfamser...
Dim siw na miw... Beth yw eu hanes nhw, gwedwch?

Dyma nhw! Dyma neges yn cyrraedd!...
Ydach chi'n sicr?

Yn bendant, gwboi!... Helo? Tintin?
Be 'di hanes y meteorit rwan?

Maen nhw ar eu ffordd nôl!... Yn sâff ac mewn un pishyn!... Hwrê!

O fewn ychydig oriau...
Dyna nhw! Drychwch!

SGE

Dyma ni... wedi llwyddo i achub un darn o'r bahnanaschpielit...... Gyda'r faner yn ei gadw'n gynnes!

?

O fewn wythnosau...

Mae'r llong ymchwil Aurora, a fu ar daith i Begwn y Gogledd i ddod o hyd i'r meteorit a blymiodd i'r môr yno, ar fin dychwelyd adre i ddyfroedd cynhesach. Bu'r daith yn un lwyddiannus, gan ddod o hyd i'r meteorit ychydig cyn iddi ddiflannu am byth o dan y tonnau rhynllyd. Diolch i ddycnwch y gohebydd ifanc Tintin, a gododd faner y daith ar grib y meteorit...